Brady Brady
et la partie décisive

Mary Shaw
Illustrations de Chuck Temple
Texte français d'Isabelle Allard

Éditions
SCHOLASTIC

Catalogage avant publication de Bibliothèque et Archives Canada

Shaw, Mary, 1965-
[Brady Brady and the Most Important Game. Français]
Brady Brady et la partie décisive / Mary Shaw;
illustrations de Chuck Temple;
texte français d'Isabelle Allard.

Traduction de : Brady Brady and the Most Important Game.
Pour les 4-8 ans.
ISBN 0-439-94088-5

I. Temple, Chuck, 1962- II. Allard, Isabelle, 1974- III. Titre.
IV. Titre: Brady Brady and the Most Important Game.
Français.

PS8587.H3473B73514 2006 jC813'.6 C2006-904766-9

Édition publiée par les Éditions Scholastic,
604, rue King Ouest, Toronto (Ontario) M5V 1E1.

5 4 3 2 1 Imprimé au Canada 06 07 08 09

À mon meilleur ami, Jodi
Mary Shaw

À ma Nancy
Chuck Temple

Brady s’entraîne à faire des tirs au but avec Charlie. Quand Charlie est fatigué, Champion le remplace devant le filet. Brady et son ami s’exercent toute la matinée. La fin de semaine prochaine, ils vont participer au tournoi du Bâton d’Or, le plus important tournoi de la saison!

Et cette grande compétition aura lieu à l’aréna des Ricochons.

Les joueurs de l’équipe ont placé des affiches dans toute la ville pour l’annoncer.

Brady compte les jours jusqu'à la fin de semaine. La veille du tournoi, il est si nerveux qu'il dort avec son équipement.

Il rêve qu'il fait une échappée. Il file sur la glace, des étincelles jaillissent de ses patins… et il marque le but de la victoire!

Quand il crie « Il lance et compte! » dans son sommeil, il réveille Champion, qui bondit de son panier.

Les joueurs de l'équipe se tapent la main en entrant dans le vestiaire. Tous les Ricochons pensent que les tournois sont les meilleurs moments du hockey. Ils ont hâte de rencontrer l'équipe adverse et de faire l'échange des épinglettes au centre de la patinoire.

Les gradins sont remplis à craquer de parents, grands-parents, frères et sœurs, et aussi de joueurs des autres équipes.

Lorsque Titan entonne l’hymne national avant la première partie, les spectateurs hurlent de joie!

Les Ricochons jouent de leur mieux durant chaque partie.
Et ils sont récompensés de leurs efforts :
demain, ils participeront à la finale.

— Ce soir, leur dit l'entraîneur, mangez un bon repas
et couchez-vous tôt...

... Et toi, Brady Brady, n'oublie pas de faire sécher tes gants puants! ajoute-t-il avec un clin d'œil.

Cette fois encore, Brady dort toute la nuit avec son équipement.

Le matin de la partie décisive, les Ricochons arrivent tôt, impatients de savoir qui seront leurs adversaires. Un grognement résonne dans l'aréna quand l'entraîneur annonce :

— Les gars, nous allons affronter les DRAGONS!

Les Dragons font toujours trébucher les Ricochons quand l'arbitre a le dos tourné.

Tess se mord la lèvre. Titan fredonne nerveusement. Brady attache les patins de Charlie ensemble pour que son ami ne puisse pas s'enfuir.

Quand tous les joueurs de l'équipe sont prêts, ils se rassemblent au centre du vestiaire pour leur cri de ralliement :

On est les champions!
On est les plus forts!
Tant pis pour les Dragons!
À nous le Bâton d'Or!

Sur la patinoire, les Ricochons s'alignent devant les Dragons.

Puis l'arbitre laisse tomber la rondelle et le match commence.
Les Dragons font trébucher leurs adversaires,
leur donnent des coups de bâton et jouent dur,
mais les Ricochons tiennent bon.

L'entraîneur des Dragons laisse son meilleur joueur
sur la patinoire pendant presque toute la partie.
Certains Dragons n'ont même pas l'occasion de jouer.

L'entraîneur des Ricochons, lui, dit à ses joueurs :

— C'est ensemble que nous sommes parvenus jusqu'ici, alors vous allez tous jouer.

Au début de la troisième période, les deux équipes sont à égalité. Les Ricochons ont mal partout et sont couverts de bleus.

Pendant toute la partie, les Dragons ont projeté de la neige sur le masque de Charlie.

Tess a été mise en échec pendant qu'elle faisait sa fameuse vrille.

Grégoire a reçu un coup de bâton pendant son échappée.

JAMAIS Brady n'a autant voulu gagner une partie.

Il ne reste qu'une minute de jeu, quand soudain...
le meilleur joueur des Dragons fait une échappée,
comme celle dont avait rêvé Brady.

Charlie peut à peine voir à travers
la neige qui couvre ses lunettes.

Le joueur de l'équipe adverse exécute
un tir. La rondelle file au-dessus du
gant de Charlie et atterrit dans le filet.
Le Dragon lève les bras en signe
de victoire.

Brady voit les partisans des Dragons se lever en sifflant et en hurlant. Ceux des Ricochons quittent les gradins. Le père de Brady lui fait un petit sourire derrière la baie vitrée.

Les dernières secondes de la partie traînent en longueur. Enfin, la sonnerie retentit. Le match est terminé.
Les Ricochons ont perdu le Bâton d'Or.

À contrecœur, ils font la queue pour serrer la main de leurs adversaires. Puis ils quittent la patinoire, la tête basse.

Le vestiaire est plongé dans le silence. Plusieurs joueurs ont les larmes aux yeux. Charlie se cache le visage dans ses jambières.

Brady n'aime pas perdre. Il a le cœur gros.

L’entraîneur s’avance au centre de la pièce et déclare avec un GRAND sourire :

— Les gars, je sais que c’est difficile en ce moment, mais n’oubliez pas tous les efforts que vous avez faits pour vous rendre en finale. Et surtout, souvenez-vous qu’il est plus important de perdre loyalement que de gagner en trichant.

Les Ricochons commencent à enlever leur uniforme. Soudain, on frappe à la porte. Brady sort la tête du vestiaire.

— Gardez vos uniformes! crie-t-il à ses coéquipiers. On va jouer une autre partie! Encore plus IMPORTANTE que le match que nous venons de disputer!

Quand il ouvre la porte toute grande,
les Ricochons s'écroulent de rire en voyant l'équipe
qu'ils vont affronter.

PAPI

Brady ne sait pas qui sont
les plus excités par cette partie :
les Ricochons ou leurs parents.
Mais cette fois, il a le cœur léger.